Garfield

ALBUM GARFIELD #65

PRESSES AVENTURE

Presses Aventure, une division de
LES PUBLICATIONS MODUS VIVENDI INC.
55, rue Jean-Talon Ouest, 2e étage
Montréal (Québec) H2R 2W8, CANADA
www.groupemodus.com

Publié pour la première fois en 2013 sous le titre *Wide Load*
par Ballantine Books, une division de Random House Publishing Group

Éditeur : Marc Alain
Traducteur : Eric Chevrette

Dépôt légal – Bibliothèque et Archives nationales du Québec, 2014
Dépôt légal – Bibliothèque et Archives Canada, 2014

ISBN 978-2-89660-794-5

Nous reconnaissons l'aide financière du gouvernement du Canada par l'entremise du Fonds du livre du Canada pour nos activités d'édition.

Gouvernement du Québec — Programme de crédit d'impôt pour l'édition de livres — Gestion SODEC

Imprimé à Singapour

Garfield®
www.garfield.com
© 2010 PAWS, INC. All Rights Reserved.
ARGH
C'EST TROP CHAUD POUR LA SIESTE, ICI...
Distributed by Universal Uclick
JIM DAVIS 8·15
Z

CROIS-TU QU'IL Y A DE LA VIE SUR D'AUTRES PLANÈTES, GARFIELD?
BIEN SÛR
IL Y A CERTAINEMENT DE LA VIE QUELQUE PART...
JIM DAVIS 8-16
© 2010 PAWS, INC. All Rights Reserved. www.garfield.com
Distributed by Universal Uclick

AH, CES BELLES NUITS D'ÉTÉ...
L'ODEUR DE BARBECUE DES VOISINS...
SLAP SLAP SLAP SLAP SLAP SLAP
ET LE SON DE JON QUI CHASSE LES MOUSTIQUES
ILS ME BOUFFENT VIVANT!!
SLAP SLAP SLAP SLAP SLAP SLAP SLAP SLAP SLAP SLAP SLAP
JIM DAVIS 8-17
© 2010 PAWS, INC. All Rights Reserved. www.garfield.com
Distributed by Universal Uclick

© 2010 PAWS, INC. All Rights Reserved.
SQUIRRRT!
QUE LE FESTIVAL DU KETCHUP COMMENCE!
JE TE DÉTESTE
JIM DAVIS 8-18
www.garfield.com
Distributed by Universal Uclick

AU PIED, ODIE!
© 2010 PAWS, INC. All Rights Reserved.
www.garfield.com
AU PIED, GARDIELD!
Distributed by Universal Uclick
AU PIED, GARDIELD!
FAUDRA ME SOUDOYER!
JIM DAVIS 8-19

LIZ N'AIME PAS CETTE CRAVATE, MAIS ELLE N'A PAS DIT POURQUOI...
© 2010 PAWS, INC. All Rights Reserved.
www.garfield.com
Distributed by Universal Uclick
LES FEMMES!
UN VRAI MYSTÈRE, EN EFFET
JIM DAVIS 8-20

UN AUTRE WEEK-END D'ENFER
JIM DAVIS 8-21
www.garfield.com
© 2010 PAWS, INC. All Rights Reserved.
JE SAIS CE QU'ON PEUT FAIRE!
Distributed by Universal Uclick
MONTONS DANS UN ASCENSEUR ET PRÉTENDONS QU'ON A LA NAUSÉE!
POURQUOI PRÉTENDRE?

SHOOM
© 2010 PAWS, INC. All Rights Reserved.
OK, OK...
UN PETIT INSTANT...
TIENS, C'EST BIZARRE...
www.garfield.com
MON PORTEFEUILLE EST PRIS DANS LA POCHE DE MON PANTA...
Distributed by Universal Uclick
JE PENSAIS QUE LE CAMION DE GLACES ALLAIT ATTENDRE!

C'EST FAIT
AS-TU VÉRIFIÉ LE NIVEAU DE PH?
JIM DAVIS 8-23
www.garfield.com
© 2010 PAWS, INC. All Rights Reserved.
OUI, À LA SEMAINE PROCHAINE
Distributed by Universal Uclick
TOUT LE MONDE DEVRAIT AVOIR UNE SOURIS DE PISCINE

SUUUPER...
www.garfield.com
© 2010 PAWS, INC. All Rights Reserved.
IL N'Y A RIEN COMME SE LAISSER FLOTTER DANS LA PISCINE
Distributed by Universal Uclick
JIM DAVIS 8-24

TU PARTAGES LA PISCINE?
JIM DAVIS 8-25
www.garfield.com
© 2010 PAWS, INC. All Rights Reserved.
BIEN SÛR
Distributed by Universal Uclick
JE TE LAISSE LE CÔTÉ PROFOND

JIM DAVIS 8-26
HUM...
© 2010 PAWS, INC. All Rights Reserved.
www.garfield.com
TU N'ES PAS DE GARDE?
NON
Distributed by Universal Uclick
JE SUIS EN PAUSE

JIM DAVIS 8-27
www.garfield.com
© 2010 PAWS, INC. All Rights Reserved.
Distributed by Universal Uclick
LAP
LAP
LAP
LAP
LAP

LAP
LAP LAP
LAP
LAP
LAP LAP
LAP
LAP
LAP
www.garfield.com
JIM DAVIS 8-28
© 2010 PAWS, INC. All Rights Reserved.
LAP LAP
LAP
LAP
LAP LAP
LAP
LAP LAP
LAP
LAP LAP
Distributed by Universal Uclick
QU'EST-IL ARRIVÉ À LA PATAUGEOIRE?
BEAU BOULOT, ODIE!

GARFIELD
POOKY, LIZ SE MOQUE DE MON POIDS
www.garfield.com
© 2010 PAWS, INC. All Rights Reserved.
ODIE JAPPE TOUT LE TEMPS
JON SE PLAINT SANS ARRÊT
ET TOI...
Distributed by Universal Uclick
...TU TROUVES TOUJOURS LES BONS MOTS
JIM DAVIS 8·29

UNE LETTRE POUR TOI, GARFIELD
VOTRE ABONNEMENT À « PARESSEUX MAGAZINE » EST ÉCHU.
TU ES PITOYABLE
LÈCHE-MOI UN TIMBRE
JPM DAVIS 8-30
© 2010 PAWS, INC. All Rights Reserved.
www.garfield.com
Distributed by Universal Uclick

GARFIELD, TU DOIS T'ACTIVER UN PEU
UN CHAT EN FORME EST UN CHAT HEUREUX
ET UNE VÉTÉRINAIRE QUI SE TAIT EST ADORABLE
JPM DAVIS 8-31
© 2010 PAWS, INC. All Rights Reserved.
www.garfield.com
Distributed by Universal Uclick

PLACE À LA PENSÉE DU JOUR AVEC ODIE!
YIP!
CONCIS, CLAIR ET STUPIDE
JPM DAVIS 9-1
© 2010 PAWS, INC. All Rights Reserved.
www.garfield.com
Distributed by Universal Uclick

LES CHATS ONT D'EXCELLENTS INSTINCTS
© 2010 PAWS, INC. All Rights Reserved.
www.garfield.com
JE SENS LE DANGER S'APPROCHER!
Distributed by Universal Uclick
JIM DAVIS 9-2
SODA DIÈTE?
AAAGH!!!

REGARDE CE QUE JE T'AI TROUVÉ, GARFIELD...
www.garfield.com
© 2010 PAWS, INC. All Rights Reserved.
UN PETIT HABIT COMME LE MIEN!
Distributed by Universal Uclick
PAS FACILE, MAIS ÇA LUI VA BIEN DANS LE NEZ
NARFIELD!
JIM DAVIS 9-3

C'EST MA PHOTO DE GRADUATION
JIM DAVIS 9-4
www.garfield.com
© 2010 PAWS, INC. All Rights Reserved.
JE NE CROIS PAS QUE MA COMPAGNE AIT AIMÉ SA SOIRÉE
Distributed by Universal Uclick
ELLE A RUINÉ SA ROBE EN TENTANT DE S'ÉVADER PAR LE GYM
ET ELLE A DÛ SE BRISER UN OU DEUX ONGLES

Garfield
JON A EU UNE EXCELLENTE IDÉE DE VENIR AU PARC AQUATIQUE
www.garfield.com
© 2010 PAWS, INC. All Rights Reserved.
OÙ EST-IL, AU FAIT?
JE CROIS QU'IL EST ALLÉ ESSAYER CETTE GRANDE GLISSADE...
EEEEEEEEEEEEEEE
JIM DAVIS
9·5
EEEEYAAAAAAAAAA
AAAAAHHHHHHH
SPLASH!
Distributed by Universal Uclick
LA BOMBE ATOMIQUE
ON RENTRE À LA MAISON?

ODIE VA TENTER DE LIRE DANS SES PROPRES PENSÉES!
IL A TOUT FAUX!
JIM DAVIS 9-6
www.garfield.com
© 2010 PAWS, INC. All Rights Reserved.
Distributed by Universal Uclick

ÇA VA, PETIT?
CE GARS S'EST COGNÉ LA TÊTE?
BIEN PLUS DE FOIS QUE TU NE LE CROIS...
JIM DAVIS 9-7
www.garfield.com
© 2010 PAWS, INC. All Rights Reserved.
Distributed by Universal Uclick

ODIE TRADUIRA MAINTENANT TOUT CE QUE JE DIS POUR NOTRE PUBLIC CANIN
MIAOU MIAOU MIAOU MIAOU
WOUF WOUF WOUF WOUF
UN INSTANT... JE N'AI JAMAIS DIT QUE J'EMBRASSERAIS VOS PATTES!
JIM DAVIS 9-8
www.garfield.com
© 2010 PAWS, INC. All Rights Reserved.
Distributed by Universal Uclick

PAF
© 2010 PAWS, INC. All Rights Reserved.
www.garfield.com
BINK
JIM DAVIS 9-9
Distributed by Universal Uclick
ODIE A PERDU DU POIDS

«CHER COURRIER DU CHIEN...»
JIM DAVIS 9-10
© 2010 PAWS, INC. All Rights Reserved.
www.garfield.com
«Y A-T-IL DE LA VIE SUR LA LUNE?»
Distributed by Universal Uclick
S'IL VOUS PLAÎT, PLUS DE QUESTIONS SUR LA LUNE
ARRROOOO

DRING DRING DRING
ODIE
© 2010 PAWS, INC. All Rights Reserved.
www.garfield.com
BURP
Distributed by Universal Uclick
DRING DRING DRING
ODIE
JIM DAVIS 9-11

GARFIELD
LIZ, CROIS-TU QUE ÇA M'IRAIT SI JE ME LAISSAIS POUSSER UNE...
NON
JE T'AIME COMME TU ES!
COMME C'EST GENTIL!
BEC
AAAH...
JUSTE UN PETIT PEU...
NON
© 2010 PAWS, INC. All Rights Reserved.
www.garfield.com
Distributed by Universal Uclick
JPM DAVIS 9.12

JE T'AI À L'ŒIL
QUELQU'UN QUELQUE PART PEUT DONNER UNE VIE À CET HOMME?
© 2010 PAWS, INC. All Rights Reserved.
Distributed by Universal Uclick
www.garfield.com
JIM DAVIS 9·13

C'EST LE TEMPS D'ALLER AU BOULOT
HAAACK!
CE COMMERCE DE BOULES DE POILS EST PÉNIBLE
© 2010 PAWS, INC. All Rights Reserved.
www.garfield.com
Distributed by Universal Uclick
JIM DAVIS 9·14

COMMENT VAS-TU AUJOURD'HUI, ODIE?
YIP! YIP! YIP! YIP! YIP! YIP! YIP! YIP! YIP! YIP! YIP! YIP! YIP! YIP! YIP! YIP!
IL AURAIT PU S'ARRÊTER À «YIP»
JIM DAVIS 9·15
© 2010 PAWS, INC. All Rights Reserved.
www.garfield.com
Distributed by Universal Uclick

DANS LE FAR WEST, LES DIFFÉRENDS SE RÉGLAIENT DE LA BONNE VIEILLE FAÇON...
LES DEUX COWBOYS SE RENCONTRAIENT SUR LA RUE PRINCIPALE POUR...
UN «JE TE TIENS PAR LA BARBICHETTE»!
JE M'ENNUIE DES BELLES ANNÉES DE LA TÉLÉ
JIM DAVIS 9-16
www.garfield.com
© 2010 PAWS, INC. All Rights Reserved. Distributed by Universal Uclick

ALORS LIZ, CETTE JOURNÉE DE TRAVAIL?
VRAIMENT!
ELLE A DÉTARTRÉ UNE GERBOISE
J'AI ENTENDU DIRE QUE C'ÉTAIT DÉLICIEUX NAPPÉ D'UNE SAUCE HOLLANDAISE
JIM DAVIS 9-17
www.garfield.com
© 2010 PAWS, INC. All Rights Reserved. Distributed by Universal Uclick

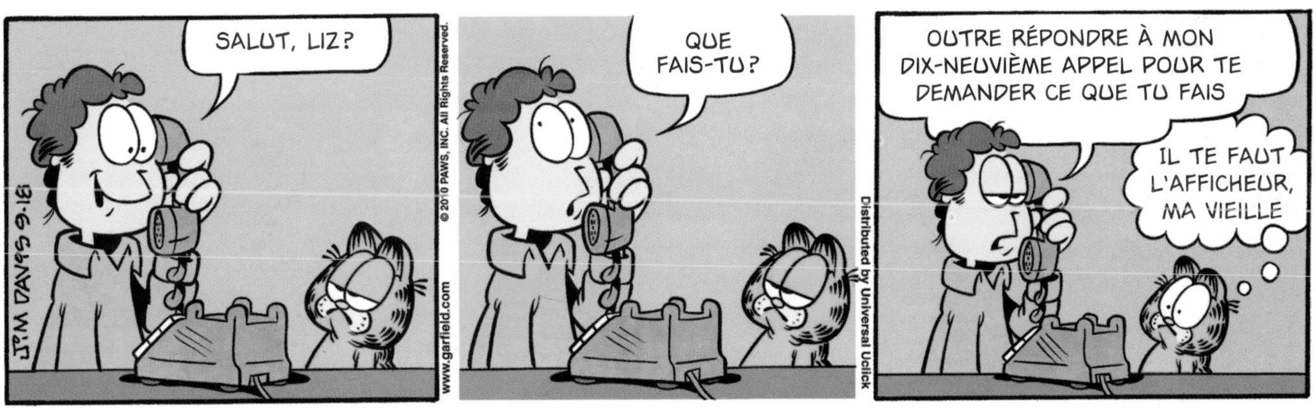
SALUT, LIZ?
QUE FAIS-TU?
OUTRE RÉPONDRE À MON DIX-NEUVIÈME APPEL POUR TE DEMANDER CE QUE TU FAIS
IL TE FAUT L'AFFICHEUR, MA VIEILLE
JIM DAVIS 9-18
www.garfield.com
© 2010 PAWS, INC. All Rights Reserved. Distributed by Universal Uclick

GARFIELD®
HMMMMMMMMM
© 2010 PAWS, INC. All Rights Reserved.
HMMMMMM...
PLOOP
www.garfield.com
NNNGH
CLUNK
SALUTATIONS!
NOUS VENONS DE LA PLANÈTE PETITES BOUCHÉES AU THON
Distributed by Universal Uclick
QU'AS-TU FAIT AUJOURD'HUI?
J'AI SEULEMENT SAUVÉ (BURP) LA PLANÈTE!
JIM DAVIS 9-19

JIM DAVIS 9·20
© 2010 PAWS, INC. All Rights Reserved.
www.garfield.com
REGARDE! LIZ EST LÀ-BAS!
Distributed by Universal Uclick
REGARDE! LE JARDIN DE MME FEENY!
QUI A PLACÉ CETTE HAIE AU MILIEU DE LA RUE?!

JE T'AI FAIT DES BISCUITS SANS SUCRE
JIM DAVIS 9·21
www.garfield.com
© 2010 PAWS, INC. All Rights Reserved.
AVEC DES RAISINS SECS!
Distributed by Universal Uclick
AS-TU TOUJOURS EU CE CÔTÉ CRUEL?

JE SUIS SÛR QUE GARFIELD COMPLOTE QUELQUE CHOSE CONTRE MOI
© 2010 PAWS, INC. All Rights Reserved.
www.garfield.com
EST-CE QUE JE PARANOÏE?
Distributed by Universal Uclick
JE NE CROIS PAS
MOI NON PLUS
JIM DAVIS 9·22

ON MANGE À L'EXTÉRIEUR, CE SOIR, LIZ?
D'ACCORD!
CROUSTILLES
JIM DAVIS 9.23
© 2010 PAWS, INC. All Rights Reserved.
www.garfield.com
MAIS PAR «MANGER À L'EXTÉRIEUR», TU NE VEUX PAS DIRE...
... MANGER CE SAC DE CROUSTILLES SUR LE BALCON, J'ESPÈRE!
ELLE LIT DANS LES PENSÉES!
Distributed by Universal Uclick

EH BIEN, BONNE NUIT, LIZ
BONNE NUIT, JON
JIM DAVIS 9.24
© 2010 PAWS, INC. All Rights Reserved.
Distributed by Universal Uclick
JE NE PEUX PAS L'EMBRASSER SI TU REGARDES, GARFIELD
JE PEUX RESTER TANT QUE TU VEUX, LIZ
www.garfield.com

LIZ A TOUT CE QUE JE RECHERCHE CHEZ UNE FILLE
© 2010 PAWS, INC. All Rights Reserved.
J'ESPÈRE SEULEMENT QU'ELLE RESSENT LA MÊME CHOSE POUR MOI...
Distributed by Universal Uclick
JIM DAVIS 9.25
www.garfield.com
ÇA NE TE DÉRANGE PAS QUE JE TE CONFIE TOUT ÇA, J'ESPÈRE?
TU DISAIS?

GARFIELD!
JON, RESTONS À LA MAISON CE SOIR. PARLONS!
© 2010 PAWS, INC. All Rights Reserved.
PARLER?
OUI! ON PARLE TOUJOURS AU TÉLÉPHONE... PARFOIS PENDANT DES HEURES!
HUM... D'ACCORD
C'EST UN BON DÉBUT!
JPM DAVPS 9-26
EXCUSE-MOI UN INSTANT
www.garfield.com
DRING DRING DRING
Distributed by Universal Uclick
ALORS, COMMENT S'EST PASSÉ TA JOURNÉE?
REVIENS ICI
LES VIEILLES HABITUDES SONT DIFFICILES À CHANGER

MA VOITURE NE DÉMARRE PLUS
ALORS JE VAIS RESTER À LA MAISON ET NE RIEN FAIRE...
QUELLE EST TON EXCUSE?
COMME SI JE NE L'AVAIS PAS VU VENIR
© 2010 PAWS, INC. All Rights Reserved.
JIM DAVIS 9-27
www.garfield.com
Distributed by Universal Uclick

AAAAROOOOOOO!!
JIM DAVIS 9-28
www.garfield.com
© 2010 PAWS, INC. All Rights Reserved.
TU AS ENTENDU?
OUI
C'EST LE CRI DE L'IDIOT
Distributed by Universal Uclick

AÏE!
© 2010 PAWS, INC. All Rights Reserved.
www.garfield.com
DONK
TU ES MOINS FORT, MAINTENANT, HEIN?
JIM DAVIS 9-29
Distributed by Universal Uclick

© 2010 PAWS, INC. All Rights Reserved.
www.garfield.com
TUUUUUUITTT !
JIM DAVIS 9-30
Distributed by Universal Uclick
ARRÊTE ÇA!
NE ME DIS PAS QUOI FAIRE. C'EST MOI QUI AI LE SIFFLET.

C'EST TOUT POUR CE SOIR!
JIM DAVIS 10-1
© 2010 PAWS, INC. All Rights Reserved.
www.garfield.com
J'ESPÈRE QUE VOUS AVEZ AIMÉ LE SPECTACLE!
Distributed by Universal Uclick
BRÛLEZ CETTE CLÔTURE!
JE N'AI JAMAIS DE RAPPEL

JE VAIS ÉCRIRE UNE LETTRE D'AMOUR À LIZ
www.garfield.com
© 2010 PAWS, INC. All Rights Reserved.
ET LES GRANDES LETTRES D'AMOUR COMPARENT TOUJOURS L'ÊTRE AIMÉ À QUELQUE CHOSE. AS-TU UNE IDÉE?
Distributed by Universal Uclick
BEN, DE LA LASAGNE, VOYONS!
JIM DAVIS 10-2

Garfield
www.garfield.com
© 2010 PAWS, INC. All Rights Reserved.
FOOF FOOF FOOF FOOF
FOOF FOOF FOOF FOOF
FOOF FOOF FOOF FOOF
FOOF
HUUUHHH
JIM DAVIS 10-3
FOOOOOOF
Distributed by Universal Uclick
LIZ! LES CHARBONS SONT ENFIN ALLUMÉS!
LA PIZZA EST ARRIVÉE

QUOI DE NEUF SUR LE MENU AUJOURD'HUI, IRMA?
OH! UNE TACHE DE KETCHUP, UN ROND DE CAFÉ...
www.garfield.com
© 2010 PAWS, INC. All Rights Reserved.
ET JE NE SAIS PAS CE QUE C'EST...
Distributed by Universal Uclick
ÇA VA, C'EST ASSEZ, IRMA
JE PEUX SANS DOUTE GRATTER...
GRATTE GRATTE
JIM DAVIS 10-4

HÉ, IRMA, QUE SIGNIFIE LE PETIT CŒUR?
www.garfield.com
© 2010 PAWS, INC. All Rights Reserved.
QUE C'EST BON POUR LA SANTÉ
JIM DAVIS 10-5
Distributed by Universal Uclick
ALORS QUE SIGNIFIENT LES PETITES TÊTES DE MORT?
QUE C'EST **VRAIMENT** TRÈS BON!

QUEL EST LE PLAT DU JOUR?
JIM DAVIS 10-6
© 2010 PAWS, INC. All Rights Reserved.
www.garfield.com
TU NE VEUX PAS LE SAVOIR
Distributed by Universal Uclick
DONNE-MOI LE PLAT DU JOUR!
IL A VRAIMENT LE GOÛT DU RISQUE!

IRMA, QUELQUE CHOSE FLOTTE DANS MA SOUPE AU POULET
C'EST UN MORCEAU DE POULET
AVEC DES AILES?
LES POULETS ONT DES AILES
© 2010 PAWS, INC. All Rights Reserved. www.garfield.com
Distributed by Universal Uclick
JIM DAVIS 10-7

FRED! MON AMI! CONTENT DE TE VOIR!
ALORS, FRED, QU'EST-CE QUE TU AS POUR MOI AUJOURD'HUI?
J'AI BAPTISÉ LE RÉFRIGÉRATEUR
© 2010 PAWS, INC. All Rights Reserved. www.garfield.com
Distributed by Universal Uclick
JIM DAVIS 10-8

J'AI DONNÉ UN BALLON À ODIE
ET...
OUI, IL L'A TOUJOURS
© 2010 PAWS, INC. All Rights Reserved. www.garfield.com
Distributed by Universal Uclick
JIM DAVIS 10-9

GARFIELD
www.garfield.com
© 2010 PAWS, INC. All Rights Reserved.
CE SOIR, LIZ ET MOI FAISONS UNE «SOIRÉE DVD»!
CETTE SEMAINE, ELLE CHOISIT LE FILM ET JE FAIS LE MAÏS SOUFFLÉ!
ON VA S'INSTALLER CONFORTABLEMENT SUR LE SOFA... ON VA LANCER LE DVD...
ON VA TAMISER LA LUMIÈRE... SE COLLER L'UN CONTRE L'AUTRE... ET...
EMBRASSE-MOI, LUCRÉTIA!
SNIF
ZZZZZZZ
Distributed by Universal Uclick
JPM DAVIS 10-10
JE SUIS CUIT!
VAS-TU MANGER TOUT LE MAÏS SOUFFLÉ?

D'ACCORD. C'EST ICI QU'ON DOIT TUER LE DRAGON. C'EST TOUJOURS LÀ OÙ JE ME FAIS TUER.
JIM DAVIS 10·11
www.garfield.com
© 2010 PAWS, INC. All Rights Reserved.
SNICK SNICK SNICK SNICK SNICK SNICK
Distributed by Universal Uclick
COMMENT AS-TU FAIT ÇA?
JE M'ENTRAÎNE AVEC LA TÉLÉCOMMANDE

À TOI
BLEEP BLOOP
© 2010 PAWS, INC. All Rights Reserved.
www.garfield.com
VOUS AVEZ DÉCOUVERT **L'ÉPÉE DE LA DESTRUCTION**! VOUS POUVEZ MAINTENANT PULVÉRISER VOS ENNEMIS!
Distributed by Universal Uclick
TU N'OSERAS PAS
OÙ LA VEUX-TU? LA TÊTE? LE VENTRE? LA DIGNITÉ?
JIM DAVIS 10·12

JE NE PEUX PAS CROIRE QUE MON CHAT M'AIT BATTU À UN JEU VIDÉO
© 2010 PAWS, INC. All Rights Reserved.
www.garfield.com
DE QUOI J'AI L'AIR, MAINTENANT?
JIM DAVIS 10·13
Distributed by Universal Uclick
RIEN QU'ON NE SAVAIT PAS DÉJÀ
TA PRÉTENTION EST SANS LIMITES

SQUEAK
SQUEAK
SQUEAK
SQUEAK
SQUEAK
SQUEAK
© 2010 PAWS, INC. All Rights Reserved. www.garfield.com
SQUEAK
DONNE-MOI CE JOUET!
JIM DAVIS 10-14
Distributed by Universal Uclick
SQUEAK
SQUEAK
SQUEAK
SQUEAK

EUH, JON?
© 2010 PAWS, INC. All Rights Reserved. www.garfield.com
POURQUOI GARFIELD RENIFLE-T-IL MES CHEVEUX?
JIM DAVIS 10-15
Distributed by Universal Uclick
SI TU VEUX MON AVIS, TU AS DÛ UTILISER UN SHAMPOOING PARFUMÉ AUX FRUITS CE MATIN
PÊCHE, POUR ÊTRE PRÉCIS

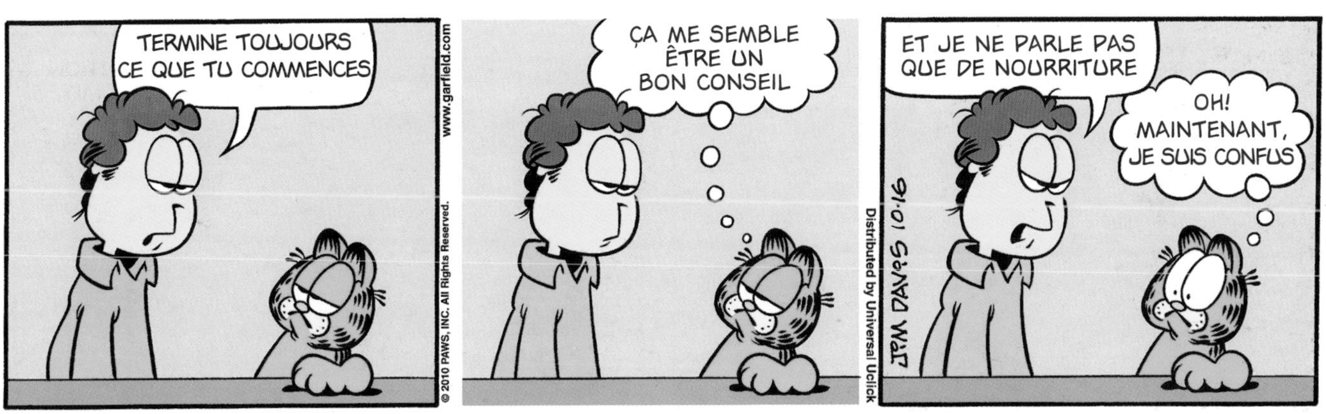
TERMINE TOUJOURS CE QUE TU COMMENCES
© 2010 PAWS, INC. All Rights Reserved. www.garfield.com
ÇA ME SEMBLE ÊTRE UN BON CONSEIL
JIM DAVIS 10-16
Distributed by Universal Uclick
ET JE NE PARLE PAS QUE DE NOURRITURE
OH! MAINTENANT, JE SUIS CONFUS

GARFIELD®
C'EST CE QUI TERMINE LE FILM DE CE SOIR: «LE MONSTRE SOUS LE LIT»
CLIC
© 2010 PAWS, INC. All Rights Reserved.
OUF!
JIM DAVIS 10-17
www.garfield.com
Distributed by Universal Uclick
Z
HÉ HÉ HÉ

TU VIENS COURIR AVEC MOI, GARFIELD?
ET POURQUOI ÇA?
© 2010 PAWS, INC. All Rights Reserved.
www.garfield.com
QUELQU'UN NOUS POURCHASSE?!
Distributed by Universal Uclick
JIM DAVIS 10-18
J'AI COMPRIS
EST-CE QU'IL A UNE LANCE?!

NOUS DISONS DONC ADIEU À UN VIEIL AMI...
JIM DAVIS 10-19
© 2010 PAWS, INC. All Rights Reserved.
www.garfield.com
CAR C'EST UN BON CAMARADE...
Distributed by Universal Uclick
LE PAIN DE VIANDE PREND SA RETRAITE
UN DISCOURS! UN DISCOURS!

HÉ, ODIE, REGARDE!
JIM DAVIS 10-20
© 2010 PAWS, INC. All Rights Reserved.
www.garfield.com
UN JOUET POUR TOI!
Distributed by Universal Uclick
PEUX-TU M'EXPLIQUER ÇA?
PAS SANS RIGOLER

UN JOUR, MONSIEUR HOT DOG MARCHAIT SUR LE TROTTOIR...
ET SOUDAIN...
CHOMP!
JE HAIS LES THÉÂTRES DE MARIONNETTES
UN JOUR, MADAME TIGÂTEAU MARCHAIT SUR LE TROTTOIR...
JIM DAVIS 10-21
www.garfield.com
© 2010 PAWS, INC. All Rights Reserved.
Distributed by Universal Uclick

LIZ VIENT ICI CE SOIR
JE VEUX CRÉER L'AMBIANCE ROMANTIQUE PARFAITE
JE VAIS ACCORDER MON BANJO
HOLÀ! UN INSTANT, JONNY... REVIENS ICI...
JIM DAVIS 10-22
www.garfield.com
© 2010 PAWS, INC. All Rights Reserved.
Distributed by Universal Uclick

CE QUE TU FAIS EST MAL!
MAL, JE TE DIS!
VOILÀ CE QUE JE TE DIRAI SI JAMAIS TU FAIS QUELQUE CHOSE
ÇA ME SEMBLE JUSTE
JIM DAVIS 10-23
www.garfield.com
© 2010 PAWS, INC. All Rights Reserved.
Distributed by Universal Uclick

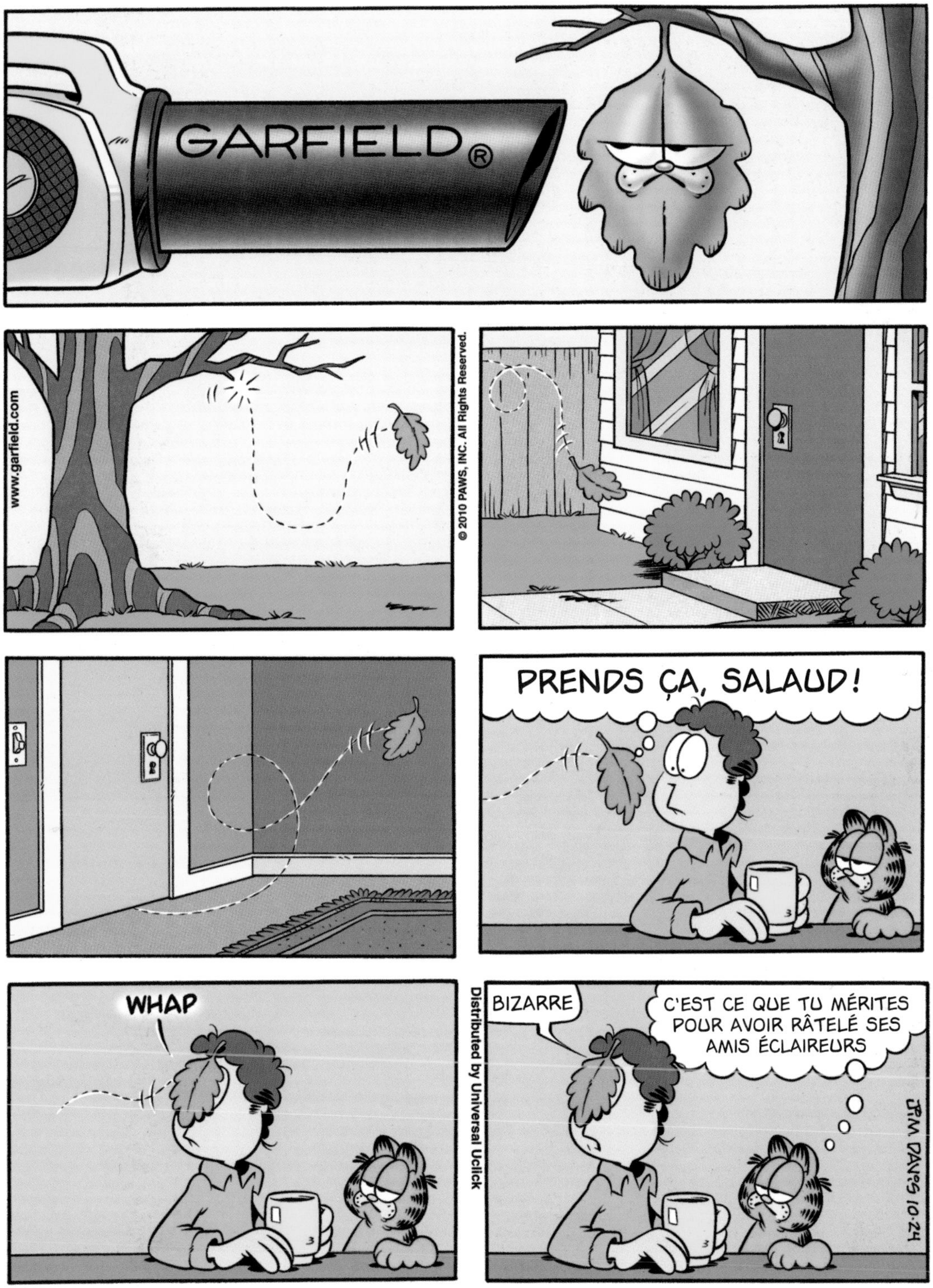
GARFIELD®
www.garfield.com
© 2010 PAWS, INC. All Rights Reserved.
PRENDS ÇA, SALAUD!
WHAP
Distributed by Universal Uclick
BIZARRE
C'EST CE QUE TU MÉRITES POUR AVOIR RÂTELÉ SES AMIS ÉCLAIREURS
JIM DAVIS 10-24

CINÉ-CÉLIBAT D'HORREUR VOUS PRÉSENTE: «LE RETOUR DE L'ANCIENNE COPINE»
DING DONG
N'OUVRE PAS! N'OUVRE PAS!
JE VEUX RAVOIR MON PLATEAU DE SERVICE!!
YAAAHH!
JE M'ENNUIE DE L'ÉPOQUE OÙ IL N'Y AVAIT QUE TROIS CHAÎNES
© 2010 PAWS, INC. All Rights Reserved.
Distributed by Universal Uclick
www.garfield.com
JPM DAVIS 10-25

MESSIEURS, SI MON EXPÉRIENCE FONCTIONNE, JE VAIS DÉBARRASSER LA TERRE DE CES RATS MUTANTS DE DEUX MÈTRES!
FASCINANT, PROFESSEUR. QUE PROPOSEZ-VOUS DE CRÉER?
DES HIBOUX DE DIX MÈTRES!
IL AURA BESOIN D'UNE ÉNOOOORME GRANGE
Distributed by Universal Uclick
© 2010 PAWS, INC. All Rights Reserved.
www.garfield.com
JPM DAVIS 10-26

NOUS SOMMES PERDUS DANS CES BOIS, MANFRED!
DU CALME, BABS... DU CALME...
NE T'INQUIÈTE PAS... TU VOIS?
NOUS ALLONS DEMANDER NOTRE CHEMIN AU GARDE FORESTIER AVEC LE MASQUE DE HOCKEY!
INQUIÈTE-TOI, BABS...
© 2010 PAWS, INC. All Rights Reserved.
Distributed by Universal Uclick
www.garfield.com
JPM DAVIS 10-27

QU'EST-CE QUE TU MANGES ENCORE?
© 2010 PAWS, INC. All Rights Reserved.
www.garfield.com
DE L'AIL
JIM DAVIS 10-28
Distributed by Universal Uclick
TU NE M'AVAIS JAMAIS DIT QUE TU AVAIS DU SANG DE VAMPIRE

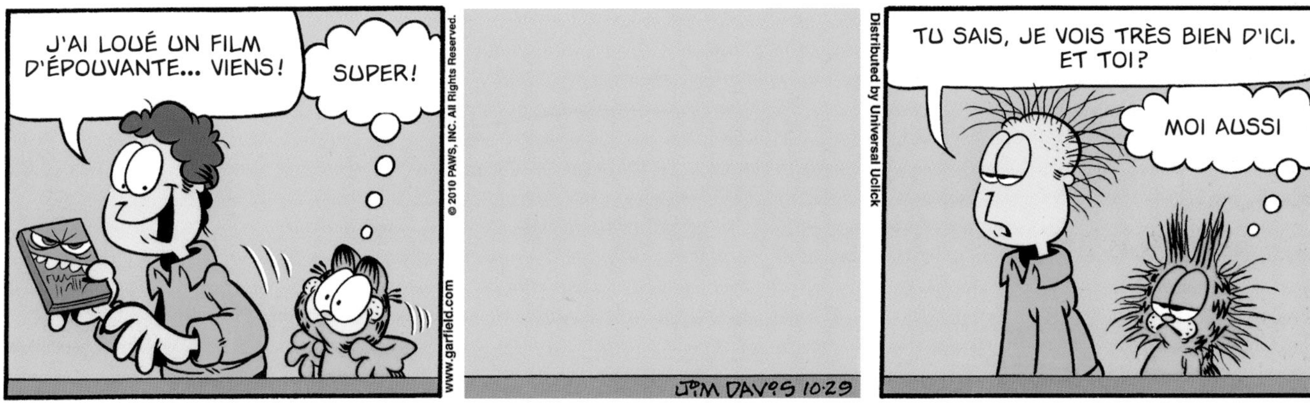
J'AI LOUÉ UN FILM D'ÉPOUVANTE... VIENS!
SUPER!
© 2010 PAWS, INC. All Rights Reserved.
www.garfield.com
JIM DAVIS 10-29
Distributed by Universal Uclick
TU SAIS, JE VOIS TRÈS BIEN D'ICI. ET TOI?
MOI AUSSI

DE RETOUR À «CINÉ-OBSESSIF-COMPULSIF D'HORREUR»
© 2010 PAWS, INC. All Rights Reserved.
Distributed by Universal Uclick
www.garfield.com
BUMP
OUPS
JIM DAVIS 10-30
DÉSOLÉ POUR TON ÉTAGÈRE DE BIBELOTS. VOILÀ...
YAAAHH
QUELLE HORREUR

GARFIELD R
www.garfield.com
JIM DAVIS 10-31
QUOI?
© 2010 PAWS, INC. All Rights Reserved.
Distributed by Universal Uclick

JIM DAVIS 11-1
www.garfield.com
© 2010 PAWS, INC. All Rights Reserved.
Distributed by Universal Uclick

« LES CHIENS PUENT »
www.garfield.com
© 2010 PAWS, INC. All Rights Reserved.
ET MAINTENANT, POUR ENTENDRE LE POINT DE VUE OPPOSÉ, VOICI ODIE
JIM DAVIS 11-2
Distributed by Universal Uclick
DÈS QU'IL A FINI DE SE ROULER DANS CETTE MATIÈRE INDÉTERMINÉE

QUE FAIS-TU, JON?
J'ESSAIE DE LIRE!
www.garfield.com
© 2010 PAWS, INC. All Rights Reserved.
ET ÇA MARCHE?
VA-T'EN!
Distributed by Universal Uclick
SI TU INSISTES
JIM DAVIS 11-3

JE TRAÎNE UNE PHOTO DE LIZ PARTOUT OÙ JE VAIS
COMME C'EST MIGNON
DÉBILE, MAIS MIGNON
JIM DAVIS 11-4
© 2010 PAWS, INC. All Rights Reserved. www.garfield.com
Distributed by Universal Uclick

TÉLÉ-A-CHAT PRÉSENTE...
«LES PLUS GROSSES BOULES DE POIL DU MONDE»!
QU'EST-CE QUE TU REGARDES?
RIEN POUR M'ÉBLOUIR...
JIM DAVIS 11-5
© 2010 PAWS, INC. All Rights Reserved. www.garfield.com
Distributed by Universal Uclick

BOOT
ET... NON
UN JOUR, IL ENTRERA EN ORBITE
CRASH!
JIM DAVIS 11-6
© 2010 PAWS, INC. All Rights Reserved. www.garfield.com
Distributed by Universal Uclick

garfield
www.garfield.com
© 2010 PAWS, INC. All Rights Reserved.
WHACK!
WHACK!
CE NE SERAIT PAS L'AUTOMNE SANS NOS PETITES TRADITIONS...
WHACK
WHACK
WHACK
WHACK
JIM DAVIS 11-7
Distributed by Universal Uclick

www.garfield.com
LE FILM DE CE SOIR...
© 2010 PAWS, INC. All Rights Reserved.
JIM DAVIS 11-8
«L'INVASION DES ARAIGNÉES»
Distributed by Universal Uclick
JE CROYAIS QUE VOUS AVIEZ LE DVD, LES GARS?

HÉ, LE CHAT! AS-TU EU UN ACCIDENT OU TU ES LAID DE NAISSANCE?
JIM DAVIS 11-9
www.garfield.com
© 2010 PAWS, INC. All Rights Reserved.
SMACK
Distributed by Universal Uclick
TA MÈRE EST TELLEMENT GROSSE QUE...
C'EST BON, LARRY, RELAXE...

SMACK!
www.garfield.com
© 2010 PAWS, INC. All Rights Reserved.
AH! TU M'AS LOUPÉ!
Distributed by Universal Uclick
POURQUOI ES-TU TOUTE PLATE ALORS?
LA GRAVITÉ EST DEVENUE PLUS PUISSANTE?
JIM DAVIS 11-10

SI TU M'ÉCRASES, JE DEVIENDRAI CÉLÈBRE!
JIM DAVIS 11-11
© 2010 PAWS, INC. All Rights Reserved.
www.garfield.com
ON ORGANISERA UNE JOURNÉE POUR COMMÉMORER MA MÉMOIRE, GROS TAS!
Distributed by Universal Uclick
SAVEZ-VOUS POURQUOI NOUS CÉLÉBRONS LE «JOUR NATIONAL DE LA STUPIDITÉ»?

SI TU M'ÉCRASES, JE LE DIRAI À MON COUSIN «LES CROCS»!
JIM DAVIS 11-12
© 2010 PAWS, INC. All Rights Reserved.
www.garfield.com
HOULALA J'AI PEUR
LES CROCS!
Distributed by Universal Uclick
HOP
HOP
D'ACCORD, LÀ, J'AI UN PEU PEUR

C'EST L'HEURE D'ÉCRASER DES ARAIGNÉES!
VRAIMENT?
JIM DAVIS 11-13
© 2010 PAWS, INC. All Rights Reserved.
www.garfield.com
STOMP!
Distributed by Universal Uclick
MA MONTRE A DU RETARD

Garfield®
www.garfield.com
© 2010 PAWS, INC. All Rights Reserved.
SCHLAP!
BEURK !
JIM DAVIS 11-14
Distributed by Universal Uclick
NE SAUTE JAMAIS DANS UN TAS DE FEUILLES MOUILLÉES
YAAAHH

JE NE SUIS PAS MOI-MÊME AVANT LE PREMIER CAFÉ
SLUP
VOILÀ QUI EST MIEUX
© 2010 PAWS, INC. All Rights Reserved.
www.garfield.com
Distributed by Universal Uclick
JIM DAVIS 11-15

Z
IL VA **VRAIMENT** ME METTRE ÇA SUR LE DOS
www.garfield.com
© 2010 PAWS, INC. All Rights Reserved.
Distributed by Universal Uclick
JIM DAVIS 11-16

UN JOUR, JE SERAI UN GRAND ARBRE
UN JOUR, JE TE GRIMPERAI DESSUS
QUELQU'UN, COUPEZ-MOI, TOUT DE SUITE!
© 2010 PAWS, INC. All Rights Reserved.
www.garfield.com
Distributed by Universal Uclick
JIM DAVIS 11-17

ALLÔ?
JIM DAVIS 11-18
www.garfield.com
© 2010 PAWS, INC. All Rights Reserved.
SI JE POSSÈDE UN CHAT?
Distributed by Universal Uclick
NON
PERSONNE NE «POSSÈDE» LES CHATS

ZOUM ZOUM ZOUM ZOUM
JIM DAVIS 11-19
www.garfield.com
© 2010 PAWS, INC. All Rights Reserved.
ZOUM ZOUM ZOUM
Distributed by Universal Uclick
POURRAIS-TU ÊTRE PLUS INSUPPORTABLE?
GRATTE GRATTE MON DOS?

JE ME DEMANDE SI ODIE PRÉPARE UN MAUVAIS COUP
www.garfield.com
© 2010 PAWS, INC. All Rights Reserved.
Distributed by Universal Uclick
JIM DAVIS 11-20
LES CHIENS SONT SI DIFFICILES À LIRE

QU'EST-CE QUE TU PRÉPARES, MAMAN? MIAM! DINDE... FARCE... PATATES PILÉES... SAUCE...
FÈVES À L'ÉTUVÉE... ÉPIS DE MAÏS... SALADE DE POMMES DE TERRE... PAIN DE MAÏS...
SAUCE AUX CANNEBERGES... POMMES DE TERRE RISSOLÉES... ROULÉS AU BEURRE... JAMBON CUIT... DUMPLINGS DE PATATE...
SALADE DE FRUITS... POTIRON... SOUPE PATATE-JAMBON... PATATES AU FOUR... CRÊPES AUX PATATES...
TARTE AUX PACANES... TARTE À LA CITROUILLE... TARTE AUX PATATES DOUCES...
HÉ, MES CLÉS DE VOITURE!
VIENS TOUT DE SUITE OU PRENDS LE BUS, L'AMI
www.garfield.com
© 2010 PAWS, INC. All Rights Reserved.
Distributed by Universal Uclick
JIM DAVIS 11-21

N'OUBLIEZ PAS, LES ENFANTS. LE CRIME NE PAIE PAS!
JPM DAVIS 11-22
© 2010 PAWS, INC. All Rights Reserved.
www.garfield.com
Distributed by Universal Uclick
MAIS IL PEUT ÊTRE DÉLICIEUX

QU'EST-CE QUE TU FABRIQUES, GARFIELD?
© 2010 PAWS, INC. All Rights Reserved.
www.garfield.com
BISCUITS
EUH... MOI? RIEN!
Distributed by Universal Uclick
VOUS AURIEZ PU ME LE DIRE QU'ELLE ÉTAIT DERRIÈRE MOI
JPM DAVIS 11-23

ODIE VA MAINTENANT DÉVOILER LE SECRET DU BONHEUR
© 2010 PAWS, INC. All Rights Reserved.
www.garfield.com
Distributed by Universal Uclick
VOUS VOUDREZ SANS DOUTE RESTER MALHEUREUX
JPM DAVIS 11-24

LES DIEUX DE LA CUISINE ME DÉTESTENT
ET POUR VOUS REPENTIR, VOUS DEVREZ COMMANDER DE LA PIZZA

JE SORS AVEC LIZ
ET JE RESTE À LA MAISON AVEC LE JAMBON
QU'EST-CE QU'IL Y A SUR LA BANQUETTE, JON ?
LE SOUPER DE DEMAIN SOIR

HÉ, CE MENU EST EN ANGLAIS !
TU LE TIENS À L'ENVERS
AH, OUI !
PUIS-JE ENCORE COMMANDER LE MIJOTÉ DE BOEUF ?
SI TU VEUX

Garfield®
www.garfield.com
© 2010 PAWS, INC. All Rights Reserved.
TU AS FAIT QUOI? ... AU COMPLET?!
WOW, LIZ... C'EST EXTRAORDINAIRE! BRAVO!
OK...À BIENTÔT
JPM DAVIS 11-28
AAARR…RGGHH!!
Distributed by Universal Uclick
ELLE A DÉJÀ TERMINÉ SON MAGASINAGE DE NOËL!
TU CACHES BIEN TA JOIE

OUF, LE CENTRE COMMERCIAL ÉTAIT BONDÉ
L'AIRE DE RESTAURATION A MÊME MANQUÉ DE BOUFFE
COMME LA DERNIÈRE FOIS QUE TU Y ES ALLÉ
JE CHÉRIS CE JOUR DE TOUT MON CŒUR
JIM DAVIS 11-29
© 2010 PAWS, INC. All Rights Reserved. www.garfield.com
Distributed by Universal Uclick

REGARDE, MME FEENY FAIT UN BONHOMME DE NEIGE!
NON... C'EST SEULEMENT UNE BALLE DE NEIGE GÉANTE
JIM DAVIS 11-30
EUH... EST-CE UNE CATAPULTE?
JE SERAI DANS L'ABRI ANTIBOMBE
© 2010 PAWS, INC. All Rights Reserved. www.garfield.com
Distributed by Universal Uclick

LE PÈRE NOËL LE SAIT QUAND TU ES MÉCHANT
ON PEUT SANS DOUTE CONCLURE UNE ENTENTE À L'AMIABLE
JIM DAVIS 12-1
© 2010 PAWS, INC. All Rights Reserved. www.garfield.com
Distributed by Universal Uclick

GARFIELD, N'EXAGÈRES-TU PAS AVEC CETTE ROUTINE DU «BON GARÇON» POUR IMPRESSIONNER LE PÈRE NOËL?
... GARFIELD?
VOS PANTOUFLES, MONSIEUR?
TU M'INQUIÈTES
JIM DAVIS 12-2
© 2010 PAWS, INC. All Rights Reserved.
www.garfield.com
Distributed by Universal Uclick

GARFIELD! J'AI REÇU UNE CARTE DE NOËL!
JE TE GAGE QU'ELLE VIENT DE MON FRÈRE
COMMENT LE SAIS-TU?
C'EST ÉCRIT «AU MAIGRELET»
ÇA VIENT PEUT-ÊTRE DE TON GYM?
JIM DAVIS 12-3
© 2010 PAWS, INC. All Rights Reserved.
www.garfield.com
Distributed by Universal Uclick

AÏE
IMPRESSIONNANT
JE CROIS QUE JE ME SUIS ÉTIRÉ LE FILEUR
JIM DAVIS 12-4
© 2010 PAWS, INC. All Rights Reserved.
www.garfield.com
Distributed by Universal Uclick

Garfield
www.garfield.com
© 2010 PAWS, INC. All Rights Reserved.
UN PEU À GAUCHE...
UN PEU PLUS À GAUCHE...
D'ACCORD, MAINTENANT UN PEU À DROITE...
ET JUUUUUSTE UN PEU VERS LA GAUCHE... UN PEU PLUS...
EEEEET... VOILÀ! C'EST BON!
JIM DAVIS 12-5
Distributed by Universal Uclick
PARFAIT!
À L'AIDE
ON SE REVOIT EN JANVIER

NE MANGE PAS CES BISCUITS DE NOËL!
ILS SONT POUR LES INVITÉS
DOIS-JE SORTIR ET FRAPPER ALORS?
JIM DAVIS 12-6
© 2010 PAWS, INC. All Rights Reserved.
www.garfield.com
Distributed by Universal Uclick

TU AS MANGÉ TOUS LES BISCUITS DE NOËL
EH OUI
ALORS, QU'EST-CE QUE TU VAS FAIRE?
JE VAIS LE DIRE AU PÈRE NOËL
ATTENDS! DÉSOLÉ! JE VAIS EN REFAIRE! JE VAIS APPRENDRE À CUISINER!
JIM DAVIS 12-7
© 2010 PAWS, INC. All Rights Reserved.
www.garfield.com
Distributed by Universal Uclick

TU DEVRAIS TE METTRE EN FORME, L'AMI...
OUAIS OUAIS...
OU J'APPELLE LE PÈRE NOËL
NON, TU NE LE FERAS PAS
J'AI COUPÉ LES LIGNES TÉLÉPHONIQUES
JIM DAVIS 12-8
© 2010 PAWS, INC. All Rights Reserved.
www.garfield.com
Distributed by Universal Uclick

RUDOLPH, VEUX-TU GUIDER MON TRAÎNEAU CE SOIR?
JIM DAVIS 12-9
© 2010 PAWS, INC. All Rights Reserved.
ARRIVE EN VILLE, BOUFFI, UTILISE ÇA
Distributed by Universal Uclick
www.garfield.com
GÉNIAL, UN GPS!
JE ME SENS VIEUX

JOYEUX NOËL, JON!
JIM DAVIS 12-10
www.garfield.com
© 2010 PAWS, INC. All Rights Reserved.
JE T'OFFRE CETTE «BOÎTE AUX MYSTÈRES»!
Distributed by Universal Uclick
ELLE EST VIDE
ET VOILÀ, TU L'AS RUINÉE!

JIM DAVIS 12-11
www.garfield.com
© 2010 PAWS, INC. All Rights Reserved.
Distributed by Universal Uclick
JE SUIS BEAU EN ROUGE

GARFIELD
www.garfield.com
C'EST BON! J'APPELLE LE PÈRE NOËL!
© 2010 PAWS, INC. All Rights Reserved.
ET JE VAIS LUI DIRE CE QUE TU AS FAIT!
BIP BIP BEEP BOOP BIP BEEP
VOUS AVEZ JOINT LA LIGNE DES « PETITS MÉCHANTS » DU PÔLE NORD
NOUS AVONS PRÉSENTEMENT UN TRÈS HAUT VOLUME D'APPELS...
VEUILLEZ GARDER LA LIGNE POUR CONSERVER VOTRE PRIORITÉ D'APPEL
Distributed by Universal Uclick
JPM DAVPS 12-12
FAH-LAH-LA-LA-LAAAH-LA-L
AVEC UN PEU DE CHANCE, IL SERA EN ATTENTE JUSQU'EN JANVIER

... CHAQUE NOËL, PAPA PARTAIT NOUS COUPER UN ARBRE...
PAS ENCORE...
© 2010 PAWS, INC. All Rights Reserved.
www.garfield.com
ET UNE ANNÉE, LES TERMITES SONT ARRIVÉS
FAITES LE TAIRE
Distributed by Universal Uclick
UNE GUIRLANDE SUR DES BOIS DE RENNE, CA N'A PAS LE MÊME EFFET
JE DEVRAIS SANS DOUTE LE FRAPPER AVEC LA BÛCHE DE NOËL
JIM DAVIS 12-13

AS-TU TERMINÉ TA LISTE DE CADEAUX DE NOËL?
BIEN SÛR QUE OUI!
© 2010 PAWS, INC. All Rights Reserved.
www.garfield.com
JIM DAVIS 12-14
JE L'AI ENVOYÉE PAR COURRIEL AU PÈRE NOËL
Distributed by Universal Uclick
IL A ENCORE CONTOURNÉ LE PARE-FEU, M'SIEUR
WOW... CE CHAT EST UN VRAI PIRATE

HO! HO! H...
© 2010 PAWS, INC. All Rights Reserved.
JIM DAVIS 12-15
THONK!
www.garfield.com
Distributed by Universal Uclick
«LE NOËL OÙ ILS ONT FERMÉ LE CONDUIT DE CHEMINÉE» VOUS REVIENT...
À L'AIDE!
JE CROIS QU'ILS COMMENCENT À MANQUER D'IDÉES

QU'EST-CE QUE TU VEUX POUR NOËL, LIZ?
EUH... JE NE SAIS PAS...
SURPRENDS-MOI!
JE SUIS PERDU
QUELQU'UN EST SURPRIS?

PEUT-ÊTRE UNE ROBE POUR LIZ... JE NE CONNAIS PAS SA TAILLE, DEVRAIS-JE LUI DEMANDER?
CATALOGUE
OH, REGARDE, DES BOULES AU FROMAGE ET AUX NOIX
BON GARÇON

SMOOCH
JE T'AI EU

GARFIELD
DES SEMAINES PLUS TÔT :
AH!
CATALOGUE
www.garfield.com
© 2010 PAWS, INC. All Rights Reserved.
BIP BIP BOOP BEEP BOOP BOOP BIP
J'AIMERAIS COMMANDER UN CADEAU POUR MON COPAIN...
CELUI SUR LA PAGE 32... MON NUMÉRO DE CARTE DE CRÉDIT EST LE...
VOILÀ! C'ÉTAIT FACILE
JPM DAVFS 12-19
Distributed by Universal Uclick
MAINTENANT
TU CROIS QU'ELLE AIMERAIT UN MANOMÈTRE POUR PNEUS?
EH OUI! TOUJOURS PAS MARIÉS!

TU CROIS QUE LIZ AIMERAIT UN DÉTECTEUR DE POISSONS POUR NOËL?
CATALOGUE
© 2010 PAWS, INC. All Rights Reserved.
Distributed by Universal Uclick
www.garfield.com
JIM DAVIS 12-20
EXCUSE-MOI DE NE PAS PENSER COMME UNE FEMME!
BIZARRE... TU COURS COMME UNE FILLETTE

JE NE SAIS TOUJOURS PAS QUOI OFFRIR À LIZ
JIM DAVIS 12-21
www.garfield.com
© 2010 PAWS, INC. All Rights Reserved.
JE VAIS DEMANDER L'AVIS D'UN EXPERT...
Distributed by Universal Uclick
ELLE FAIT ENVIRON CETTE TAILLE
SÉCURITÉ!

LIZ, JE NE SAIS VRAIMENT PAS QUOI T'ACHETER POUR NOËL
JIM DAVIS 12-22
© 2010 PAWS, INC. All Rights Reserved.
www.garfield.com
PEUX-TU ME DONNER UNE IDÉE?
J'AIME LE ROSE
Distributed by Universal Uclick
ÇA AIDE?
ELLE AIME LE ROSE
ÇA RÉDUIT LES POSSIBILITÉS À LA FAMILLE DES PAMPLEMOUSSES

LIZ AIMERAIT PEUT-ÊTRE DU PARFUM
«EAU DE WOWIE-WOW-WOW»
ÇA ME SEMBLE BIEN
«PEUT CAUSER UNE SALIVATION EXCESSIVE CHEZ L'HOMME»
SOLDE
JIM DAVIS 12·23
www.garfield.com
Distributed by Universal Uclick
© 2010 PAWS, INC. All Rights Reserved.

«BRUINE DE MUSC MUCHO MACHO POUR HOMME»
« LES FEMMES EN SERONT FOLLES»
SPRITZ SPRITZ
EMBRASSE-MOI OU JE T'ASSOMME!
ÇA MARCHE!
JIM DAVIS 12·24
www.garfield.com
© 2010 PAWS, INC. All Rights Reserved.
Distributed by Universal Uclick

JOYEUX NOËL, LIZ
OH, UNE BOÎTE À MUSIQUE!
ELLE JOUE «MON BEAU SAPIN» VERSION POLKA
EUH... WOW
REGARDE! LA PETITE BALLERINE A UN ACCORDÉON!
J'AI UN AMI QUI PEUT T'ENTERRER ÇA POUR PAS CHER
JIM DAVIS 12·25
© 2010 PAWS, INC. All Rights Reserved.
www.garfield.com
Distributed by Universal Uclick

GARFIELD®
LE LENDEMAIN DE NOËL EST UNE JOURNÉE SI CALME ET SI PAISIBLE...
© 2010 PAWS, INC. All Rights Reserved.
TOUTE L'EFFERVESCENCE EST DISPARUE...
TOUS LES CADEAUX ONT ÉTÉ DÉBALLÉS...
www.garfield.com
TOUS LES CANTIQUES ONT ÉTÉ CHANTÉS...
TOUS LES BISCUITS ONT ÉTÉ ENGLOUTIS...
Distributed by Universal Uclick
WAAAAAAAHHHH
JIM DAVIS 12·26

ALORS, QU'EST-CE QU'UN RENNE COMME VOUS FAIT LE RESTE DE L'ANNÉE?
JIM DAVIS 12-27
© 2010 PAWS, INC. All Rights Reserved.
JE TRAVAILLE SUR MON ÉLAN
VOTRE ÉLAN?
www.garfield.com
Distributed by Universal Uclick
DE MINI-GOLF
BAH-DA BOUM

LIZ VA ADORER MON NOUVEAU CHANDAIL!
© 2010 PAWS, INC. All Rights Reserved.
www.garfield.com
TUG TUG
PULL PULL
Distributed by Universal Uclick
JIM DAVIS 12-28
DE QUOI AI-JE L'AIR?
TU AS UN LOOK ÉLECTRIFIANT

© 2010 PAWS, INC. All Rights Reserved.
www.garfield.com
NOUVEAUX CHAPEAUX!
Distributed by Universal Uclick
MÊME BIZARRO!
JIM DAVIS 12-29

DE QUOI AI-JE L'AIR... QUELLE EST MA PLUS BELLE QUALITÉ?
MOI!
JIM DAVIS 12·30
© 2010 PAWS, INC. All Rights Reserved. www.garfield.com
Distributed by Universal Uclick

REGARDE, GARFIELD! M. BARROW PORTE SON COSTUME DE GORILLE!
ET LÀ, IL GRIMPE SUR LE CÔTÉ DE LA MAISON
ET VOICI LA DANSE DE LA BANANE
JE NE VAIS REGARDER QU'UNE FOIS
JIM DAVIS 12·31
© 2010 PAWS, INC. All Rights Reserved. www.garfield.com
Distributed by Universal Uclick

Z
Z
Z
JIM DAVIS 1·1
© 2011 PAWS, INC. All Rights Reserved. www.garfield.com
Distributed by Universal Uclick

Garfield
www.garfield.com
QUELLE BELLE SOIRÉE. ON PEUT VOIR TOUTES LES ÉTOILES
© 2011 PAWS, INC. All Rights Reserved.
CLIC
DE RETOUR À «YODLONS AVEC NOS VEDETTES»
GARFIELD?
Distributed by Universal Uclick
JIM DAVIS 1-2

VOILÀ, JE VAIS ENTRER EN HIBERNATION
© 2011 PAWS, INC. All Rights Reserved.
www.garfield.com
TU VAS FAIRE QUOI?
Distributed by Universal Uclick
POURQUOI PERSONNE NE M'A JAMAIS PARLÉ D'HIBERNATION?
JIM DAVIS 1-3

NOUS NE SOMMES SUR TERRE QUE POUR UNE COURTE PÉRIODE
© 2011 PAWS, INC. All Rights Reserved.
JIM DAVIS 1-4
CERTAINS VIVENT PLEINEMENT LEUR VIE
www.garfield.com
Distributed by Universal Uclick
ALLÔ! JE SUIS MOU-MOU!
ET D'AUTRES REGARDENT «TI-BAS ET SES AMIS»

JE DÉTESTE LE CHANGEMENT
www.garfield.com
© 2011 PAWS, INC. All Rights Reserved.
ÇA N'A PAS TOUJOURS ÉTÉ LE CAS...
Distributed by Universal Uclick
MAIS J'AI CHANGÉ
JIM DAVIS 1-5

© 2011 PAWS, INC. All Rights Reserved.
www.garfield.com
TU ES GÉNIAL !
Distributed by Universal Uclick
JIM DAVIS 1-6
C'EST BON DE SAVOIR QUE JE SUIS LÀ POUR MOI

JE N'AI AUCUN SOUCI DANS LA VIE
www.garfield.com
© 2011 PAWS, INC. All Rights Reserved.
Distributed by Universal Uclick
JE LES AI TOUS DONNÉS
JIM DAVIS 1-7

LA VIE EST PLEINE DE SURPRISES
www.garfield.com
© 2011 PAWS, INC. All Rights Reserved.
Distributed by Universal Uclick
JIM DAVIS 1-8
BON, PEUT-ÊTRE PAS PLEINE
IL Y A PEUT-ÊTRE EU UNE FUITE...

GARFIELD®
www.garfield.com
© 2011 PAWS, INC. All Rights Reserved.
STOMP!
AH!
JIM DAVIS 1-9
Distributed by Universal Uclick
RÉVEILLE-MOI À L'ÉQUINOXE DU PRINTEMPS

TU ES GROS
C'EST VRAI! JE SUIS GROS!
© 2011 PAWS, INC. All Rights Reserved.
www.garfield.com
ÇA FAIT PLUS DE MOI À AIMER!
Distributed by Universal Uclick
JIM DAVIS 1-10
J'AI FAIT CE QUE **J'AVAIS** À FAIRE

AVALE TON DÉJEUNER AVANT DE PASSER AU DÎNER
GARFIELD
© 2011 PAWS, INC. All Rights Reserved.
www.garfield.com
HOULALA...
GARFIELD
JIM DAVIS 1-11
Distributed by Universal Uclick
QUI A ÉTABLI TOUTES CES RÈGLES?!
GARFIELD

C'EST LE TEMPS DE TE METTRE AU RÉGIME, GARFIELD
© 2011 PAWS, INC. All Rights Reserved.
www.garfield.com
QUOI?!
Distributed by Universal Uclick
VOYONS! LES CONTINENTS S'ENFONCENT DANS L'OCÉAN DEPUIS TOUJOURS!
JIM DAVIS 1-12

LIZ PENSE QUE JE DEVRAIS TE DONNER DE LA NOURRITURE FAIBLE EN CALORIES
ROAAAARR
C'EST **LIZ** QUI A DIT ÇA! PAS **MOI**!
TRANQUILLE, MON GROS, TRANQUILLE
JIM DAVIS 1-13
© 2011 PAWS, INC. All Rights Reserved. www.garfield.com
Distributed by Universal Uclick

QUI VEUT DE LA SALADE?
UNE CHANCE QUE PERSONNE N'A ÉTÉ BLESSÉ DANS LA BOUSCULADE
C'EST SA VAINE TENTATIVE DE SARCASME
JIM DAVIS 1-14
© 2011 PAWS, INC. All Rights Reserved. www.garfield.com
Distributed by Universal Uclick

AÏE! J'ESPÈRE QUE PERSONNE NE MANGE MES NOUVELLES PLANTES D'INTÉRIEUR
HÉ! C'EST DE LA **SALADE**!
JIM DAVIS 1-15
© 2011 PAWS, INC. All Rights Reserved. www.garfield.com
Distributed by Universal Uclick

garfield®
HMMMMMMMMMMM
© 2011 PAWS, INC. All Rights Reserved.
POOMP
SALUTATIONS, TERRIEN
www.garfield.com
MENEZ-MOI À VOTRE CHEF!
ET QUE ÇA SAUTE!
Distributed by Universal Uclick
JPM DAVIS 1-16
CET INCIDENT INTERGALACTIQUE N'EN RESTERA PAS LÀ!

LES LÉGUMES SONT BONS POUR LA SANTÉ
JIM DAVIS 1-17
www.garfield.com
© 2011 PAWS, INC. All Rights Reserved.
ATCHOUM!
AHA!
Distributed by Universal Uclick

AIDE-MOI À ME CACHER!
SERAIT-CE UN CAUCHEMAR?
JIM DAVIS 1-18
www.garfield.com
© 2011 PAWS, INC. All Rights Reserved.
MES ONZE AMIS ENROBÉS DE SUCRE ET MOI...
OH, NON, C'EST BIEN UN CAUCHEMAR!
IL N'Y A PAS DE CAFÉ!
WAH HA! HA! HA! HA!
Distributed by Universal Uclick

TU SAIS, GARFIELD, LES BEIGNETS SONT MAUVAIS POUR LA SANTÉ
© 2011 PAWS, INC. All Rights Reserved.
www.garfield.com
TANT PIS POUR EUX
JIM DAVIS 1-19
Distributed by Universal Uclick

JIM DAVIS 1·20
www.garfield.com
© 2011 PAWS, INC. All Rights Reserved.
Distributed by Universal Uclick
IL TE RESSEMBLE BEAUCOUP!
OH, MERCI!

www.garfield.com
© 2011 PAWS, INC. All Rights Reserved.
PLOP
Distributed by Universal Uclick
ET IL Y A EU DES TÉMOINS?
JIM DAVIS 1-21

JIM DAVIS 1·22
WOW! CE CHANDAIL EST BEAUCOUP PLUS CHAUD QUE MES PLUMES!
www.garfield.com
© 2011 PAWS, INC. All Rights Reserved.
Distributed by Universal Uclick
MAIS CE N'EST PAS IDÉAL POUR LE VOL!

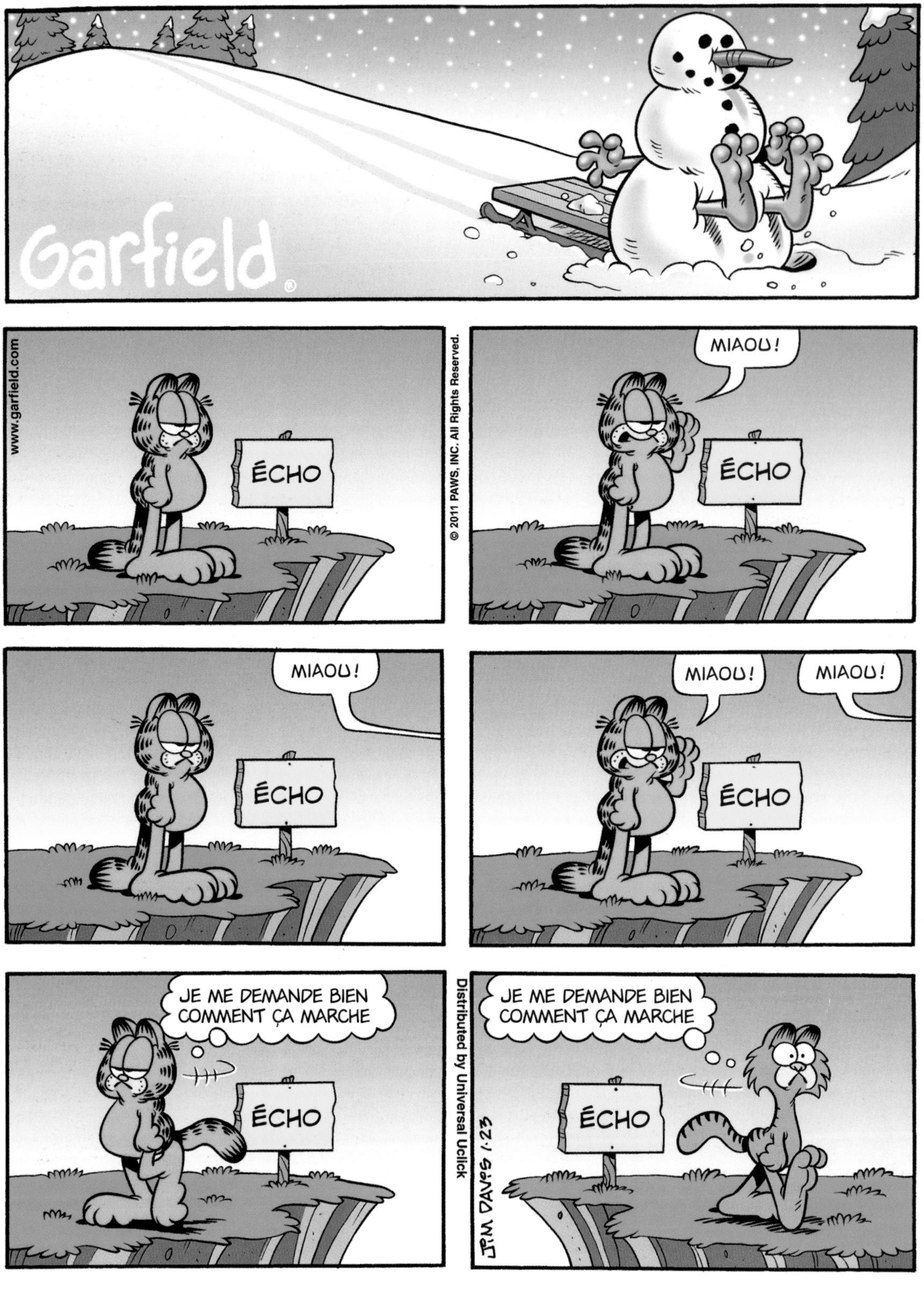
Garfield®
www.garfield.com
© 2011 PAWS, INC. All Rights Reserved.
ÉCHO
MIAOU!
ÉCHO
MIAOU!
ÉCHO
MIAOU!
MIAOU!
ÉCHO
JE ME DEMANDE BIEN COMMENT ÇA MARCHE
ÉCHO
Distributed by Universal Uclick
JE ME DEMANDE BIEN COMMENT ÇA MARCHE
ÉCHO
JIM DAVIS 1·23

VOILÀ POUR LES NOUVELLES...
ENFIN, LES PRINCIPALES...
J'AI SAUTÉ LES HISTOIRES AVEC DES MOTS QUE JE N'ARRIVAIS PAS À PRONONCER
JE ME SUIS TOUJOURS POSÉ CETTE QUESTION
JPM DAVIS 1-24 © 2011 PAWS, INC. All Rights Reserved.
www.garfield.com Distributed by Universal Uclick

M'SIEUR, JE CROIS QUE ÇA POURRAIT BIEN ÊTRE UN **MEURTRE**!
QUOI? UN MEURTRE?!
OUI, M'SIEUR... REGARDEZ LE PIANO
LE PIANO?
EUH... LE PIANO QUI EST SUR LE CORPS?
OH! **CE** PIANO!
L'INSPECTEUR PERDU DE SCOTLAND YARD
JPM DAVIS 1-25 © 2011 PAWS, INC. All Rights Reserved.
www.garfield.com Distributed by Universal Uclick

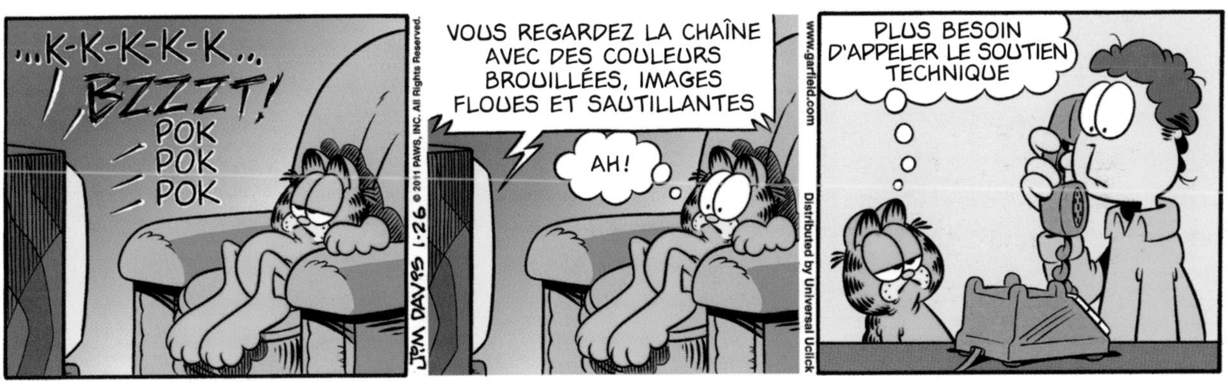

...K-K-K-K-K...
BZZZT!
POK
POK
POK
VOUS REGARDEZ LA CHAÎNE AVEC DES COULEURS BROUILLÉES, IMAGES FLOUES ET SAUTILLANTES
AH!
PLUS BESOIN D'APPELER LE SOUTIEN TECHNIQUE
JPM DAVIS 1-26 © 2011 PAWS, INC. All Rights Reserved.
www.garfield.com Distributed by Universal Uclick

BIENVENUE À L'ÉMISSION!
J'ESPÈRE QUE VOUS ÊTES PRÊTS À ÊTRE ÉBLOUIS PAR...
LE QUASI FABULEUX IRVING!
PAS LE MEILLEUR DES MAGICIENS
JIM DAVIS 1-27
© 2011 PAWS, INC. All Rights Reserved.
www.garfield.com
Distributed by Universal Uclick

UN JOUR, LES INSECTES RÉGNERONT SUR LA TERRE
QUOI ENCORE?
JE ME PRÉPARE AU PIRE, FUTUR ESCLAVE
JIM DAVIS 1-28
© 2011 PAWS, INC. All Rights Reserved.
www.garfield.com
Distributed by Universal Uclick

BIENVENUE AU JEU FÉLIN «QU'EST-CE QUE MUFFY A TUÉ?»
D'ACCORD, ALORS AVANT DE PASSER AUX QUESTIONS, MUFFY VA VOUS DONNER L'INDICE QUE VOICI...
HACK!
UN GEAI BLEU! C'EST ÉVIDENT!
JIM DAVIS 1-29
© 2011 PAWS, INC. All Rights Reserved.
www.garfield.com
Distributed by Universal Uclick

Garfield®
ALLÔ!
QUI ÊTES-VOUS?
NOUS SOMMES DOUZE PETITS BEIGNETS ÉGARÉS...
CONNAISSEZ-VOUS LE CHEMIN VERS LE ROYAUME DES BONNES PÂTISSERIES?
ET POURQUOI JE NE VOUS MANGERAIS PAS TOUT DE SUITE?
ESSAIE ÇA, BALOURD, ET ON APPELLE NOTRE GRAND FRÈRE!
VAS-Y
DWAYNE!
OUI?
DÉCIDÉMENT, CE RÊVE EST DE MIEUX EN MIEUX
JIM DAVIS 1-30

LES DINOSAURES ONT RÉGNÉ SUR TERRE
Z
ET MAINTENANT, ILS ONT DISPARU
WOW! J'AI DORMI AUSSI LONGTEMPS QUE ÇA?

DORS-TU?
NON
TROP OCCUPÉ À RÉPONDRE À TES QUESTIONS STUPIDES!

TU DOIS AVOIR L'AIR PLUS MENAÇANT
PRENEZ GARDE AU CHIEN
PRENEZ GARDE AU CHIEN
PRENEZ GARDE AU CHIEN

AAAARGH!
VOILÀ, C'EST REPARTI...
www.garfield.com
© 2011 PAWS, INC. All Rights Reserved.
QU'AI-JE FAIT POUR MÉRITER ÇA?
CHAQUE SEMAINE, C'EST LA MÊME CHOSE
Distributed by Universal Uclick
JE DÉTESTE ÇA!
SI TU NETTOYAIS MA LITIÈRE TOUS LES JOURS, CE NE SERAIT PAS SI MAL!
JPM DAVIS 2-3

LIZ, TU ES MAGNIFIQUE
www.garfield.com
© 2011 PAWS, INC. All Rights Reserved.
N'ES-TU PAS D'ACCORD, GARFIELD?
OUI!
Distributed by Universal Uclick
ELLE GARDE DES BONBONS DANS SON SAC À MAIN!
JPM DAVIS 2-4

J'EN AI MARRE DE LA ROUTINE, GARFIELD
© 2011 PAWS, INC. All Rights Reserved.
www.garfield.com
RÉVEILLE, DÉJEUNE, SORS...
JPM DAVIS 2-5
Distributed by Universal Uclick
QUE QUELQU'UN LANCE UNE PIERRE
JE NE BOUGE PAS D'ICI

GARFIELD®
www.garfield.com
© 2011 PAWS, INC. All Rights Reserved.
BOING
BOING
BOING
BOING BOING
BOING BOING
BOING BOING
ROWR
Distributed by Universal Uclick
JIM DAVIS 2-6
PAPA VOUS A DIT D'ARRÊTER DE SAUTER SUR LES COUSSINS

LIZ EST DIFFÉRENTE DE TOUTES LES AUTRES FILLES QUE JE CONNAIS
www.garfield.com
© 2011 PAWS, INC. All Rights Reserved.
JIM DAVIS 2-7
Distributed by Universal Uclick
PREMIÈREMENT, ELLE M'AIME BIEN
ÉTRANGE, N'EST-CE PAS?

QUE PUIS-JE FAIRE POUR IMPRESSIONNER LIZ?
JIM DAVIS 2-8
© 2011 PAWS, INC. All Rights Reserved.
www.garfield.com
FAIS UN GÂTEAU À TON CHAT!
Distributed by Universal Uclick
TU NE M'AIDES PAS
EN TOUT CAS, **JE** SERAIS IMPRESSIONNÉ

J'ÉCRIS UNE CHANSON POUR LIZ
JIM DAVIS 2-9
www.garfield.com
© 2011 PAWS, INC. All Rights Reserved.
C'EST UNE CHANSON D'AMOUR
Distributed by Universal Uclick
GENRE BANJO-POLKA
JE SERAI EN ARRIÈRE EN TRAIN D'ENTERRER TES PICS

JIM DAVIS 2-10
ALLÔ, JON, C'EST MOI
ALLÔ, LIZ!
QUE FAIS-TU?
PAS GRAND-CHOSE...
C'EST LA JOURNÉE LESSIVE
CŒURS SENSIBLES S'ABSTENIR
© 2011 PAWS, INC. All Rights Reserved. www.garfield.com
Distributed by Universal Uclick

JIM DAVIS 2-11
QUE VAS-TU PORTER POUR LE RESTO CE SOIR?
TU VAS PORTER ÇAAAA?...
BEN, PEUT-ÊTRE PAS, NON...
LA POLICE DE LA MODE A UN NOUVEAU SHÉRIF
© 2011 PAWS, INC. All Rights Reserved. www.garfield.com
Distributed by Universal Uclick

JIM DAVIS 2-12
URF
NE TOMBE PAS AMOUREUX, ODIE, TU ES DÉJÀ ASSEZ STUPIDE COMME ÇA
© 2011 PAWS, INC. All Rights Reserved. www.garfield.com
Distributed by Universal Uclick

garfield®
www.garfield.com
© 2011 PAWS, INC. All Rights Reserved.
CONCOURS DE STATUE!
BLINK
Distributed by Universal Uclick
JIM DAVIS 2-13
PERDU

GARFIELD VOULAIT NOUS ACCOMPAGNER CE SOIR
ES-TU SÛR QU'IL N'EST PAS LÀ?
JIM DAVIS 2·14
Distributed by Universal Uclick
HEIN?
CE N'EST PAS LUI, DERRIÈRE LE CHARIOT À DESSERTS?
www.garfield.com
© 2011 PAWS, INC. All Rights Reserved.
À MOI! TOUT À MOI!
PAS SI JE NE ME RETOURNE PAS POUR REGARDER

WOW, LIZ EMBRASSE VRAIMENT BIEN
www.garfield.com
© 2011 PAWS, INC. All Rights Reserved.
VRAAAIMENT BIEN
Distributed by Universal Uclick
JIM DAVIS 2·15
VRAAAIMENT TRÈÈÈS BIEN...
IL DOIT TOUJOURS EN METTRE TROP... VRAAAIMENT...

J'ADORE LES VIEILLES BALLADES COUNTRY, GARFIELD
www.garfield.com
© 2011 PAWS, INC. All Rights Reserved.
ELLES SONT SI DÉCHIRANTES
Distributed by Universal Uclick
JIM DAVIS 2·16
CELLE-CI S'INTITULE «LES TEMPS SONT DURS, ALORS ON A MANGÉ LE CHAT»
C'EST DONC ÇA QUE ÇA VEUT DIRE, DÉCHIRANT...

JE PORTE UN NOUVEAU PARFUM
© 2011 PAWS, INC. All Rights Reserved.
www.garfield.com
EAU DE BACON
JIM DAVIS 2-17
Distributed by Universal Uclick
JE T'AI BIEN EU
JE SUIS AUSSI DÉÇU QUE TOI

GARFIELD
© 2011 PAWS, INC. All Rights Reserved.
www.garfield.com
CLANG CLANG C
CLA ANG
GARFIELD
JIM DAVIS 2-18
Distributed by Universal Uclick
LA SUBTILITÉ, C'EST POUR LES LAVETTES
ARFIELD

C'EST LE JOUR, HEIN ?
www.garfield.com
© 2011 PAWS, INC. All Rights Reserved.
J'AI DORMI 90% DU TEMPS...
JIM DAVIS 2-19
Distributed by Universal Uclick
ALORS, JE RÉPONDRAI «OUI» ?

GARFIELD®
AHEM...
© 2011 PAWS, INC. All Rights Reserved.
C'EST MA PLACE
QUÉ?
LÈVE-TOI TOUT DE SUITE!
NO HABLO FRANÇAIS, SEÑOR SANSOFA
www.garfield.com
D'ACCORD, TU PEUX RESTER LÀ... MAIS AU MOINS...
JIM DAVIS 2-20
TU POURRAIS M'EN LAISSER UN BOUT...
C'EST BON, D'ACCORD...
Distributed by Universal Uclick
TU CACHES L'ÉCRAN

ATTENTION, CHATON!
www.garfield.com
© 2011 PAWS, INC. All Rights Reserved.
JE SUIS UN POISSON VENIMEUX QUI VA TE RENDRE TRÈS MALADE!
Distributed by Universal Uclick
JIM DAVIS 2·21
J'AI UN ESTOMAC QUI PEUT ENGLOUTIR 12 BURRITOS AUSSI GROS QUE MA TÊTE
JE SUIS CUIT

JIM DAVIS 2·22
... J'AI ENSUITE TRAVERSÉ LA RUE, ET...
© 2011 PAWS, INC. All Rights Reserved.
www.garfield.com
TU M'ENNUIES, BOUFFI! PLUS VITE AVEC TON HISTOIRE!
Distributed by Universal Uclick
COMPRIS

www.garfield.com
© 2011 PAWS, INC. All Rights Reserved.
Distributed by Universal Uclick
JIM DAVIS 2·23
TU AS MANGÉ MON POISSON ROUGE?
IL EST PARTI POUR MON MONDE MEILLEUR

© 2011 PAWS, INC. All Rights Reserved.
www.garfield.com
Distributed by Universal Uclick
SI ÇA PEUT TE RASSURER, CE POISSON ROUGE ÉTAIT LOIN D'AVOIR LE GOÛT QUE J'ESPÉRAIS
JIM DAVIS 2·24

«VOYEZ LE GENTIL PETIT POISSON ROUGE»
JIM DAVIS 2·25
© 2011 PAWS, INC. All Rights Reserved.
www.garfield.com
«NAGEANT JOYEUSEMENT DANS SON BOL»
Distributed by Universal Uclick
«VOYEZ LE MÉCHANT CHATON...»
MAINTENANT, LA PARTIE INTÉRESSANTE!

JIM DAVIS 2·26
JE NE PEUX PLUS RETENIR MON SOUFFLE!
www.garfield.com
© 2011 PAWS, INC. All Rights Reserved.
GASP!
Distributed by Universal Uclick
HALEINE DE POISSON!
DÉSOLÉ
BIEN JOUÉ, PETITES BRANCHIES

GARFIELD®
© 2011 PAWS, INC. All Rights Reserved.
BARK
JIM DAVIS 2-27
Distributed by Universal Uclick
www.garfield.com
J'AI EU DES JOURS MEILLEURS
YANK YANK YANK YANK YANK YANK YANK YANK

TOUT VA BIEN
TOUT, TOUT, TOUT...
AH, TE VOILÀ!
JE T'AI MANQUÉ?
JIM DAVIS 2-28
© 2011 PAWS, INC. All Rights Reserved.
www.garfield.com
Distributed by Universal Uclick

J'ADORE LA NATURE
BIEN... J'ADORE CETTE PHOTO DE LA NATURE
TOUJOURS ENSOLEILLÉE, SANS TEMPÊTE À L'HORIZON
JIM DAVIS 3-1
© 2011 PAWS, INC. All Rights Reserved.
www.garfield.com
Distributed by Universal Uclick

JIM DAVIS 3-2
MON OREILLE ME PIQUE, GARFIELD
UN INSECTE S'Y EST PEUT-ÊTRE GLISSÉ!
POUR ME DÉVORER LE CERVEAU!!!
LE PAUVRE PETIT VA CREVER DE FAIM...

«CHER PSY POUR CHIENS»
«EST-IL VRAI QUE LE CHIEN EST DEVENU LE MEILLEUR AMI DE L'HOMME EN SOUDOYANT QUELQU'UN?» SIGNÉ, LE CHAT ASSIS À CÔTÉ DE TOI.
REGARDEZ, IL A MÊME GARDÉ LE REÇU!
www.garfield.com
© 2011 PAWS, INC. All Rights Reserved.
Distributed by Universal Uclick
JIM DAVIS 3-3

ÇA, C'EST MOI DANS LE CLUB D'ÉCHECS... MOI DANS LE CLUB DE LATIN...
C'EST MOI DANS LE CLUB DE SCIENCES... MOI DANS LE CLUB DE MATHÉMATIQUES...
C'EST MOI, SEUL, AU BAL DE FIN D'ÉTUDES
ALLEZ SAVOIR POURQUOI
JIM DAVIS 3-4
www.garfield.com
© 2011 PAWS, INC. All Rights Reserved.
Distributed by Universal Uclick

GARFIELD! LIZ POURRAIT BIEN ÊTRE «LA BONNE»!
OUI, SES BLAGUES SONT MAUVAISES ET SES NARINES FRÉTILLENT QUAND ELLE EST EN COLÈRE, MAIS ELLE POURRAIT BIEN ÊTRE «LA BONNE»!
«LA BONNE» EST JUSTE DERRIÈRE TOI, CRÉTIN, ET SES NARINES FRÉTILLENT
JIM DAVIS 3-5
www.garfield.com
© 2011 PAWS, INC. All Rights Reserved.
Distributed by Universal Uclick

GARFIELD®
www.garfield.com
LIZ DIT QUE JE NE PARTAGE PAS MES ÉMOTIONS
© 2011 PAWS, INC. All Rights Reserved.
ELLE DIT QUE C'EST IMPORTANT DANS UNE RELATION
PEUT-ÊTRE SUIS-JE SANS CŒUR
JE DEVRAIS SANS DOUTE Y METTRE PLUS D'EFFORTS
JIM DAVIS 3-6
Distributed by Universal Uclick
JE T'AIME, VIEUX
RAMÈNE LE SANS CŒUR... VIEUX

TU CROIS QU'ON DEVRAIT COMMANDER DE LA PIZZA, CE SOIR?
C'ÉTAIT STUPIDE COMME QUESTION
NON, NON, NON! AUCUNE QUESTION N'EST STUPIDE!
© 2011 PAWS, INC. All Rights Reserved. www.garfield.com
Distributed by Universal Uclick

VOTRE SAUCE À PIZZA EST-ELLE ÉPAISSE?
JE VEUX DIRE **TRÈS** ÉPAISSE?
IL DIT QU'ON POURRAIT REPAVER LE STATIONNEMENT AVEC...
C'EST VRAI?!
© 2011 PAWS, INC. All Rights Reserved. www.garfield.com
Distributed by Universal Uclick

... ON VEUT DES PIMENTS FORTS SUR NOTRE PIZZA?
BAH OUI
© 2011 PAWS, INC. All Rights Reserved. www.garfield.com
Distributed by Universal Uclick

SAUCISSON, EXTRA OIGNONS... COMBIEN D'OIGNONS?
JIM DAVIS 3·10
www.garfield.com
© 2011 PAWS, INC. All Rights Reserved.
BOUHOUHOUHOU
Distributed by Universal Uclick
FAITES-LE PLEURER
COMME UN BÉBÉ QUI ATTEND SA TÉTÉE DU SOIR

QU'EST-CE QUE TU REGARDES SUR L'ORDINATEUR?
www.garfield.com
© 2011 PAWS, INC. All Rights Reserved.
C'EST CELLE QU'ON A COMMANDÉE?
OUI
Distributed by Universal Uclick
CAMÉRA-PIZZA
JIM DAVIS 3·11

PIZZA FROIDE ET JUS D'ORANGE
www.garfield.com
© 2011 PAWS, INC. All Rights Reserved.
JE VAIS VERSER UNE LARME
Distributed by Universal Uclick
C'EST LE MEILLEUR DÉJEUNER QU'IL AIT JAMAIS FAIT
JIM DAVIS 3·12